D0251574

Lili est stressée
par la rentrée

Série dirigée par Dominique de Saint Mars

© Calligram 2011
Tous droits réservés pour tous pays
Imprimé en Italie
ISBN : 978-2-88480-604-6

Ainsi va la vie

Lili est stressée par la rentrée

Dominique de Saint Mars

Serge Bloch

CALLIGRAM

CHRISTIAN **⊙** ALLIMARD

8

Qu'est-ce qu'il t'arrive, Lili ? Tu n'as pas bougé de la journée.

J'ai fait un drôle de rêve, papa. J'ai subitement réalisé que tout a une fin, même les vacances...

... et qu'après les vacances, c'est la rentrée ! Ça m'a stressée*.

La rentrée, c'est dans un mois !

Regarde, il fait beau, la mer est là ! Profite du moment présent !

J'y arrive pas, papa. Et ça me stresse encore plus.

* Stress (mot qui vient de l'anglais) : réaction du corps face à quelque chose qui t'agresse, pour trouver comment t'y adapter.

13

L'important, pour nous, n'est pas que vous soyez les premiers de la classe, mais que vous soyez heureux !

Enfin... heureux d'apprendre !

Vous me stressez avec vos disputes !

C'est toi qui nous stresses avec ton stress, Lili ! N'est-ce pas, Paul ?

Parle pour toi, Barbara !

Heureusement que nous, les hommes, on n'est jamais stressés ! Pas vrai, papa ?

Vrai !

15

19

Un jour, j'en ai parlé à ma maîtresse. Elle m'a dit qu'à ses débuts, elle aussi était stressée. Elle avait peur de ne pas être une bonne maîtresse !

Elle m'a donné ce livre qui lui a fait du bien. Moi, il m'a fait rire...

Lis-le, on ne sait jamais !

1 - ÊTRE TOUJOURS PRESSÉ, MÊME SI ON A DU TEMPS

2 - SE FAIRE DES CAUCHEMARS AU LIEU DE DORMIR

3 - FAIRE TOUT AU DERNIER MOMENT, ÉVITER DE S'ORGANISER

4 - NE JAMAIS FINIR CE QU'ON A COMMENCÉ

5 – REFUSER LES CHANGEMENTS,
NE S'ADAPTER À RIEN

6 – NE PAS RIRE MÊME
SI ON EN A TRÈS ENVIE

7 – NE PAS PRÉPARER SES CONTRÔLES
POUR ÊTRE SÛR DE LES RATER

8 – ÉVITER DE JOUER, DE S'AMUSER,
DE FAIRE DU SPORT

9 – SE DIRE QU'ON N'A PAS D'AVENIR
DANS CE MONDE CRUEL

10 – NE PAS PARLER DE SON STRESS
POUR NE PAS RISQUER DE SE FAIRE AIDER

PLUS TARD...

Tu penses passer le reste de tes vacances, assise comme ça, sans bouger ?

Oui. Pourquoi ?

22

Parce que c'est la meilleure position anti-stress recommandée par tous les psys !

Arrête de te moquer de moi, papa ! Ça me stresse !

Tu n'as pas envie de te déstresser un peu, ma puce ?

Tu sais, papa, à petites doses, le stress n'est pas forcément mauvais. Il peut aider à identifier les problèmes et à trouver des solutions.

Mon problème, c'est la peur de la rentrée. Ça m'envahit, ça me stresse. J'arrive pas à retrouver mon calme...

GNNN

YEEGA

23

* Overdose (mot qui vient de l'anglais) : mot généralement utilisé pour une dose trop forte de drogue qui peut provoquer la mort.

25

Tiens, ma louloute, tu n'as rien mangé depuis ce matin...

J'ai pas faim, maman !

Lili, un jour, tu manges trop, et le lendemain, rien ! Arrête tes caprices !

Bouh... Bouh...

Arrête, Lili ! Tu vas nous gâcher les vacances !

BOUHHH... ! Bouh ! Bouh !

27

... j'ai peur de la rentrée, de changer de classe, de me retrouver sans copines...

... j'ai peur du maître nageur* qui me déteste...

* Retrouve le maître nageur dans Lili ne veut plus aller à la piscine.

30

... j'ai peur d'avoir des mauvaises notes,
de décevoir mes parents,
et qu'ils ne m'aiment plus...

34

35

Maman, maman ! Je viens de comprendre d'où vient mon stress ! Devine ?

Il vient de toi !
Tu es toujours pressée, toujours inquiète... Tu as peur qu'on ne réussisse pas, Max et moi ?
Tu as peur d'être une mauvaise maman ?

S'il n'y avait que ça, Lili... !

38

Papa, il faut que tu déstresses maman, que tu la fasses rire, que tu lui dises tous les jours que tu l'aimes, qu'il n'y a pas de meilleure maman, ni de meilleure femme !

Plus tard... Là, je stresse !

On dîne ? J'ai faim !

Merci, Lili ! Il faudrait aussi que je sois moins exigeante et mieux organisée ! Bizarre, bizarre... Rien qu'à y penser, je me sens moins stressée !

Bizarre, bizarre... moi aussi !

39

Ça me fait du bien, ces vacances ! Je suis prêt à affronter les dangers les plus dangereux... même le stress de rentrée de maman !

Mon pauvre Max, je crains que tu n'aies pas grand-chose à affronter... J'ai parlé à maman et à papa. Cette année, la rentrée va être cool ! On parie ?

Et toi...

Est-ce qu'il t'est arrivé la même histoire qu'à Lili ?
Réponds aux deux questionnaires...

Si tu es stressé(e)...

Sais-tu pourquoi ? As-tu un mauvais souvenir ?
Tes parents sont stressés ? Ils se disputent ?

Tu te sens incapable de faire tout ce qu'on te
demande ? Tu as peur de rater, de dire non ?

Tu veux faire les choses SI BIEN que ça te paralyse ?
Ça te rend anxieux, violent, rêveur ?

Tu n'es pas souple ? Tu ne cèdes pas ?
Tu préfères que les autres s'adaptent à toi ?

Tu n'arrives pas à t'endormir ? À te concentrer ?
Tu fais pipi au lit ? Tu as des allergies ?

Ça t'empêche de vivre ? Ou ça te plaît ?
Tu essaies d'être plus stressé ? Ou moins ?

SI TU N'ES PAS STRESSÉ(E)...

Comment fais-tu ? Tu acceptes la vie et les gens comme ils sont ? Tes parents te rassurent ?

Tu sais te relaxer ? T'organiser ? Ne pas être seul, voir la vie en rose, dormir assez, te nourrir bien ?

Tu sais que tu n'es pas parfait ? Si tu n'aimes pas un truc, tu le dis ? Tu n'as pas peur d'être jugé ?

Tu es positif ? Tu prends bien les choses,
sans te sentir agressé, coupable ou en colère ?

Si tu as peur de l'inconnu ou de l'imprévu, tu poses
des questions pour ne pas te faire des idées ?

Ça te plairait d'être stressé ? Ça t'arrive de dire que
tu es stressé quand tu ne l'es pas ? Ou le contraire ?

**Après avoir réfléchi
à ces questions
sur le stress,
tu peux en parler
avec tes parents ou tes amis.**